El Chapulín Colorado

Todo lo que sube, baja

What Goes Up, Must Come Down

Adaptado por Maria S. Barbo

Más ágil que
una tortuga...

Más fuerte que
un ratón...

Más noble que
una lechuga...

Su escudo es
un corazón...

Es...
¡El Chapulín Colorado!

More agile than
a turtle . . .

Stronger than
a mouse . . .

Nobler than
a head of lettuce . . .

A heart is his
coat of arms . . .

It's Captain Hopper!

SCHOLASTIC INC.

ISBN 978-1-338-31581-3

10 9 8 7 6 5 4 3 2 1 18 19 20 21 22

Printed in the U.S.A. 40

First printing 2018

—¡Miren! ¡Allá arriba!
Un grupo de gente se acercó a un rascacielos en construcción. Todos miraban mientras una niñita subía a lo alto del rascacielos.
—¡Ay, no! —gritó la mamá de la niña—. ¡Mi bebé! ¿Y ahora quién podrá ayudarme?

"Look! Up there!"
A small crowd gathered near a skyscraper construction site. They watched as a little girl climbed high above the ground.
"Oh, no!" the girl's mother cried. "My baby! Who will help her?"

—¡Yo! —dijo un hombre con un traje rojo, que se acercó en una patineta.
—¡El Chapulín Colorado! —exclamaron todos.
—No contaban con mi astucia —dijo el Chapulín Colorado—. ¡Síganme los buenos!

"Me!" said a man in a red suit. He rode a skateboard into the crowd.
"It's Captain Hopper!" the people cheered.
"You weren't counting on my cleverness," Captain Hopper declared. "Follow my lead!"

El Chapulín Colorado era un superhéroe valiente y famoso. Era más ágil que una tortuga, más fuerte que un ratón ¡y más noble que una lechuga!
¡Y aún más aplastado que una tortilla!

Captain Hopper was a brave and famous super hero. He was more agile than a turtle, stronger than a mouse, and more noble than a head of lettuce!
And more crushed than a tortilla!

—Chapulín, ¿te lastimaste? —preguntó la mujer.
—¡No! Lo hice a propósito para llegar más rápido —dijo el Chapulín Colorado—. Por si no lo sabes, todos mis movimientos están fríamente calculados.

"Captain Hopper, did you hurt yourself?" the woman exclaimed.
"I did that on purpose to get here faster," he told the girl's mother. "You see, all my movements are coolly calculated to—"

La mujer agarró al Chapulín Colorado por los hombros.
—Ay, Chapulín —dijo—, tienes que ayudar a mi pequeña Maricleta. ¡Puede caerse en cualquier momento!

The mother grabbed Captain Hopper by the shoulders.
"Oh, Captain Hopper!" she said. "You have to help my little Marie Claire! She could fall!"

—Calma, calma, que no panda el cúnico —dijo el Chapulín Colorado—. En primer lugar, necesito saber exactamente dónde está.
—¿Ves esas nubes allá arriba? —dijo la mujer señalando a lo alto del rascacielos.

"Calm down," Captain Hopper said. "Let's panic. Don't relax! First of all, I need to know exactly where she is."
The woman pointed to the top of the skyscraper. "Do you see those clouds up there?"

—¿Eh?
El Chapulín Colorado miró hacia arriba, arriba, arriba... y aún más arriba. Las nubes estaban *muy* altas.
—¿Allá en lo alto? —dijo tragando en seco.
—Oh, no. Está más arriba —dijo la mamá de la niña.

"Huh?" Captain Hopper looked up, up, up . . . and up some more. The clouds were *very* high.
"All the way up there?" He gulped.
"Oh, no, even higher," said the mother.

El Chapulín Colorado sintió como si hubiese acabado de chocar con otra farola. No le gustaba decir que le tenía miedo a las alturas. Y por eso, no lo dijo.

Captain Hopper felt like he had crashed into another pole. He did not like to say that he was afraid of heights. So he didn't say it.

—¿Y qué tal si le damos un tiempecito para que baje ella sola? —preguntó—. No sé, digamos unos tres días.
La mamá de la niña lo miró horrorizada.
—El doctor me ha prohibido subir a tanta altura —explicó el Chapulín Colorado—. Como verá, mi corazón comienza a latir muy rápido...

"What if we give her time to come down on her own?" he asked. "I don't know, three days, maybe."
The mother stared at him in horror.
"My doctor told me I was not allowed to climb up that high," Captain Hopper explained. "You see, my heart starts beating very fast . . ."

Justo en este momento, la patineta del Chapulín Colorado empezó a acelerar hacia el rascacielos en construcción.
—¡Gracias, Chapulín! —gritó la mamá de la niña—. ¡Sabía que no me fallarías!

Just then, Captain Hopper's skateboard began to zip toward the construction site.
"Thank you, Captain Hopper," the girl's mother called. "I knew you wouldn't fail me!"

—¿Eh?
El Chapulín Colorado chocó contra una plataforma en movimiento.
La plataforma lo llevó hacia arriba, arriba, *arriba* hasta las nubes.
—Se aprovechan de mi nobleza —dijo.

"Huh?" Captain Hopper crashed into a moving platform.
The platform lifted him up, up, *up* into the clouds.
"They take advantage of my good nature," he said.

El Chapulín Colorado se bajó gateando de la plataforma y se abrazó a una bonita viga de acero. Se dijo a sí mismo que no debía mirar hacia abajo. ¿Pero hacia dónde más podía mirar?

Captain Hopper crawled out of the moving platform and hugged a very nice pole. He told himself not to look down. But where else was he going to look?

—¡Chapulín Colorado! —dijo una voz desde abajo.
—*¿Mamá?* —dijo el Chapulín Colorado abriendo un ojo.
—Contamos contigo para rescatar a la pequeña Maricleta —dijo un policía—. ¡Sabemos que eres un héroe muy valiente! Y muy arriesgado.

"Captain Hopper!" A voice called to him from the ground.
"*¿Mama?*" Captain Hopper opened one eye.
"Captain Hopper, we're counting on you to rescue Marie Claire," said a police officer. "We know you're a very brave hero! And daring, too."

"Arriesgado, ¿eh?", pensó el Chapulín Colorado.
Tal vez el policía tenía razón. Quizás *podría* hacerlo. Después de todo, era más valiente que un ratón. ¡Su escudo era un corazón!
El Chapulín Colorado se levantó y abrió *ambos* ojos.

Daring, huh? thought Captain Hopper.
Maybe the officer was right. Maybe he *could* do this. After all, he was braver than a mouse. His shield was a heart!
Captain Hopper sat up and opened *both* eyes.

—Ay, ma... Oigan, ¡es Maricleta! —gritó.
La niñita gateaba sobre una viga que estaba cerca del Chapulín.
—¡No te muevas! ¡Te puedes caer!
Maricleta soltó una risita. Luego saltó.

"*Ay, ma*—hey, it's Marie Claire!" he shouted. The little girl toddled on a beam near him. "Don't move! You'll fall!"
Marie Claire giggled. Then she jumped.

El Chapulín Colorado se lanzó hacia otra viga para formar un puente y salvarla.
Maricleta cayó sobre su espalda. Comenzó a saltar arriba y abajo como si estuviera en un trampolín.
—¡Para ya! ¡Me voy a caer! —dijo el Chapulín Colorado.

Captain Hopper threw his body between two beams to form a safety net.
Marie Claire jumped onto his back. She bounced up and down as if she were on a trampoline.
“Stop that! You’re going to make me fall,” he said.

Pero la niñita siguió saltando hacia arriba, arriba, *arriba*.
Hasta que el Chapulín Colorado se cayó hacia abajo, abajo, *abajo*.

But the toddler kept bouncing up, up, *up*.
Until Captain Hopper fell down, down, *down*.

Por suerte, aterrizó sobre una viga al lado de unos obreros.

Luckily, he landed on a beam next to a group of construction workers.

—¡Yupi!
Uno de los obreros atrapó a la pequeña Maricleta. Se la pasó a otro que tenía al lado y este se la pasó a otro, que se la pasó al Chapulín Colorado, que se la pasó a...
—¡Ay!
¡Maricleta comenzó a caer otra vez!

"Gah!" One of the men caught little Marie Claire in his arms. He passed her to the man next to him, who passed her to the man next to him, who passed her to Captain Hopper, who passed her to—
"Huh?"
Marie Claire was falling again!

Sin pensarlo un segundo, ¡el Chapulín Colorado se lanzó tras ella como un hombre más valiente que un ratón!
—¡Ay, mamita! —gritó.

Without a thought for his own safety, Captain Hopper dove after her like a man who is braver than a mouse.
"*¡Ay, mamita!*" he cried.

Una reportera se acercó al lugar de los hechos en un helicóptero.
—En cualquier momento, ¡la pequeña Maricleta será rescatada por el superhéroe que nunca se da por vencido! —dijo.

A reporter in a helicopter flew close to the scene.
"Any minute now little Marie Claire will be rescued by the super hero that never, ever gives up!" she said.

—¡Me doy por vencido! —exclamó el Chapulín Colorado—. ¡Esto es demasiado!

"I give up!" Captain Hopper called. "This is way too much!"

Pero nadie lo escuchó. Había aterrizado de cabeza en un contenedor de cemento.
Y Maricleta aún estaba muy lejos. Había aterrizado sin problema en una tabla de madera.

But no one could hear him. He had landed in a vat of concrete, and his head was stuck.
And Marie Claire was still high above him. She'd landed safely on a wooden plank.

El Chapulín Colorado sabía lo que tenía que hacer. ¡Todo lo que baja, tiene que subir!

Captain Hopper knew what he had to do. What comes down, must go up!

—¡Ay, mamita! —gimió.

"*¡Ay, mamita!*" he groaned.

El Chapulín Colorado no iba a rendirse. Maricleta y su mamá contaban con él. Tenía que ser valiente y... más ágil que una tortuga y más noble que una lechuga.

Captain Hopper would not give up now. Marie Claire and her mom were counting on him. He'd have to be brave . . . and more agile than a turtle. Nobler than a head of lettuce.

El Chapulín Colorado enganchó sus pantalones cortos a una cuerda de seguridad. Cerró los ojos. Y saltó.

Captain Hopper hooked his shorts to a long rope for safety. Then he closed his eyes. And jumped.

—¡Este tiene que ser el rescate más espectacular que ha hecho el Chapulín Colorado! —dijo la reportera.
¡El Chapulín Colorado se había lanzado en picado y había atrapado a Maricleta justo a tiempo!
Se la entregó al policía.
—No cabe duda que el Chapulín Colorado es un verdadero héroe —dijo el policía.

"This has to be Captain Hopper's most spectacular rescue ever!" said the reporter.
Captain Hopper reached for Marie Claire—and caught her just in time!
He handed her to the police officer.
"Captain Hopper is a true hero!" said the officer.

Entonces, la cuerda de seguridad del Chapulín Colorado se rompió. Los pantalones cortos del héroe le dieron un calzón chino atómico.
Y el Chapulín Colorado salió volando de nuevo hacia arriba, arriba, arriba... y aún más *arriba* hasta las nubes.

Then Captain Hopper's safety rope snapped. His shorts gave him a massive wedgie.
And he went flying back up, up, up . . . *up* into the clouds.

—¡Ay, mamita! —dijo el Chapulín Colorado—. ¡Se aprovechan de mi nobleza!

"*¡Ay, mamita!*" he said. "They always take advantage of my good nature!"